PAR

ANNIE GROOVIE

Merci à
Jeffrey Vaillancourt,
un géoarchéologue
super cool !

EN VEDETTE :

LÉON › NOTRE SUPER HÉROS

Le surdoué de la gaffe,
toujours aussi nono et aventurier.

LOLA ›

La séduisante au grand cœur.
Son charme fou la rend irrésistible.

LE CHAT ›

Fidèle ami félin plein d'esprit.
On ne peut rien lui cacher.

OYEZ
LECTRICES ET LECTEURS DE LÉON !

Depuis ma tendre enfance, j'adore le CIRQUE ! J'ai toujours été émerveillée par ce spectacle si **coloré** et si DIVERTISSANT, au cours duquel des ACROBATES nous font vivre toutes sortes d'émotions. Qu'il s'agisse de TRAPÉZISTES, de JONGLEURS, d'**équilibristes** ou de **contorsionnistes**, les numéros sont, la plupart du temps, à couper le souffle.

Savez-vous qu'il y a de plus en plus de troupes et d'écoles de **cirque** au Québec et dans le monde ?

Si je vous parle de CIRQUE, ce n'est pas par hasard : c'est le sujet sur lequel porte l'**en-cyclope-édie** de ce numéro. En quelques pages, vous apprendrez quelles sont ses **origines** et comment il est devenu ce qu'il est *aujourd'hui*.

Que vous ayez déjà été au *CIRQUE* ou non, vous découvrirez assurément quelques trucs **intéressants**.

Sur ce, **ALLEZ HOP !** Bonne lecture et amusez-vous bien !

Annie Groovie

Table des matières

Une chose est certaine : Pinocchio ne ferait pas un bon politicien. Chaque fois qu'il mentirait, on le saurait !

HEUREUSE DÉCEPTION

LÉGER DOMMAGE...
Salut Léon. Ça ne va pas ?
J'ai cassé le bras de mon robot.
Ah, non ! Pauvre toi, comme c'est dommage...
Il est tard, tu devrais aller te coucher. Une bonne nuit de sommeil va arranger ça.
LE LENDEMAIN MATIN...
Une bonne nuit de sommeil, ça n'arrange rien du tout !
!!

L'ÉCOLE DE LA VIE

VIVE LES PIQUE-NIQUES !
Ah, les pique-niques ! C'est vraiment génial !
Quoi de plus agréable que de manger en plein air !
Splash !
Vive les pique-niques en plein air ! Grrrrr...

Ça y est, ça s'en vient !
EUH... S'CUSEZ !
Hum, merci !
Euh... Pardon, monsieur, j'aimerais avoir des baguettes, svp.
Pourquoi tu veux des baguettes ?
?
!
Eh bien, parce que je mange du pâté chinois, voyons !

PARESSEUX...
Donc, vous avez la période pour inventer votre personnage. Bonne chance !
J'ai terminé !
Déjà ? Puis-je le voir ?
Voilà !
Mais tu n'as rien dessiné !
Mais oui ! Vous ne voyez pas ? C'est l'homme invisible !

LÉON ET L'ENVIRONNEMENT

TROUVER UN SENS À SON LIVRE

NUANCE...
Salut !
Salut.
Et puis, t'as eu combien dans ton examen, toi ?
100 %.
100 % ! C'est super ! Mais t'as pas l'air content...
C'est parce que j'ai eu 100 % de fautes...
!

CHANCEUSES !
Ah, la campagne ! La tranquillité, l'air pur...
Tiens, des vaches !
Savais-tu que les vaches ont deux estomacs ?
Ah, oui ? Chanceuses !
?
Pourquoi, chanceuses ?
Eh bien, quand elles choisissent le buffet au restaurant, elles en ont pour leur argent !

Pause pub

Le micro SCOPE

Idéal pour chanter devant un public réduit

LE SUPERTRUC ✚ DE PREMIERS SOINS

nº1

Il vous est déjà arrivé de vous brûler la main ou une autre partie du corps en égouttant les pâtes ou en effleurant accidentellement un rond de poêle chaud, par exemple ? Ouch ! Ce n'est pas une sensation qu'on pourrait qualifier de très agréable. Pour savoir comment soigner votre blessure, lisez ce qui suit et vous serez prêts à faire face à la situation, si jamais elle se produit à nouveau !

1 D'abord, il est important de rester calme : votre brûlure ne chauffera pas moins si vous vous énervez !

2 Faites couler de l'eau froide sur votre main (ou sur la partie de votre corps qui a subi la brûlure) ; l'idée, c'est de refroidir la zone atteinte pour vous soulager.

3 Si jamais vous voyez de petites bulles se former sur votre peau, il ne faut surtout pas les percer. C'est une réaction de l'épiderme pour se protéger.

4 Par la suite, désinfectez la zone brûlée avec de l'eau savonneuse pour qu'elle soit bien propre.

5 Finalement, couvrez la brûlure d'un pansement afin de la protéger.

Votre peau devrait cicatriser assez rapidement. Si vous pensez que votre brûlure guérit mal et qu'elle demande davantage de soins, n'hésitez pas à consulter un médecin ou à téléphoner à Info-Santé ; la personne qui vous répondra saura vous aider. Et surtout, faites attention la prochaine fois que vous aurez à manipuler des objets brûlants !

L'EN-CYCLOPE-ÉDIE

LE CIRQUE

Il peut être très amusant de passer des heures sous un chapiteau à admirer des acrobates, à rire des maladresses de différents clowns et à s'émerveiller devant des animaux aux talents surprenants. Le cirque est une forme de spectacle qui existe depuis très longtemps et qui a énormément évolué depuis sa création. En lisant cette en-cyclope-édie, vous apprendrez plein de choses étonnantes sur cette forme d'art et ses origines.

Pas vieux comme le monde, mais presque !

Déjà durant l'Antiquité (il y a environ 5000 ans), le peuple égyptien organisait des défilés de bêtes sauvages venues de toute l'Afrique. Comme aujourd'hui, les gens étaient fascinés par les numéros d'animaux apprivoisés. Par la suite, les premiers théâtres en plein air sont apparus en Grèce, et ce sont les Romains qui leur ont donné le nom de cirque. À cette époque, les spectacles étaient surtout composés de combats entre hommes (les gladiateurs) ou contre de féroces animaux sauvages, comme des taureaux, des ours ou encore des tigres. Les gens adoraient regarder ces affrontements, mais disons que c'était assez loin de ce qu'on connaît aujourd'hui : pendant ces spectacles, il y avait souvent des blessés et parfois même des morts. Pas très rigolo...

Femmes barbues, jongleurs, etc.

Plus tard, au Moyen-Âge, des troupes de saltimbanques se sont formées. Il s'agissait de personnes qui voyageaient de foire en foire pour présenter des numéros de toutes sortes (jonglerie, acrobaties, etc.) en échange de quelques pièces d'argent. On trouvait dans ces troupes des cracheurs de feu, des avaleurs de sabres et parfois des individus ayant des caractéristiques physiques particulières qui devenaient des attractions, comme des femmes à barbe (oui, oui, de vraies femmes qui avaient une barbe !) ou encore des nains.

Et les clowns dans tout ça?

Les bouffons, qui constituent le plus ancien type de clowns, ont vu le jour dans les années 1300 grâce au roi Édouard II, un peu malgré lui. En fait, c'est en regardant un cavalier maladroit qui tombait souvent en bas de son cheval que le souverain a eu l'idée d'avoir constamment dans sa cour une personne qui tiendrait le rôle de bouffon, c'est-à-dire qui aurait pour seule fonction de le divertir. Le roi riait tellement en voyant les chutes comiques et surtout répétitives du pauvre cavalier qu'il a voulu le garder à ses côtés comme amuseur personnel. Gageons qu'il n'avait pas pensé que son idée serait reprise par autant de gens !

Une idée super géniale !

Le concept de cirque tel qu'on le connaît aujourd'hui est attribué au célèbre écuyer* anglais Philip Astley. En 1768, ce dernier a présenté un spectacle animé par quelques saltimbanques pendant que des chevaux dressés effectuaient des numéros d'adresse. C'est donc le mariage du spectacle équestre avec le monde forain qui a donné le tout premier cirque moderne.

Pendant longtemps, les seuls animaux qu'on a vus dans ces spectacles étaient les chevaux, comme l'avait suggéré Astley. Ce n'est que beaucoup plus tard (en 1850 environ), grâce à la famille italienne Franconi, que les bêtes sauvages comme les lions, les éléphants, les tigres et les panthères sont devenues une partie très importante de l'événement. Et voilà !
Nous sommes revenus, à quelques différences près, aux défilés organisés durant l'Antiquité égyptienne.

Trop cool, les Québécois...

Depuis, de nombreux cirques ont été fondés et se sont beaucoup produits partout dans le monde. Certains, plus traditionnels, ont conservé des numéros mettant en vedette divers animaux dressés, notamment des chevaux. D'autres organisations, comme le Cirque du Soleil, ont réinventé le genre. Elles ne présentent aucun animal, mais proposent des numéros d'acrobatie à couper le souffle. La musique est aussi devenue un élément important de leurs spectacles, puisqu'elle est composée spécialement pour chaque numéro et ne ressemble en rien à la musique des cirques traditionnels, inspirée de la fanfare. Le Cirque du Soleil, créé en 1984, est aujourd'hui le plus célèbre du monde. Et vous savez quoi ? C'est un Québécois, M. Guy Laliberté, qui l'a fondé. Plus de 4000 personnes y travaillent ! Actuellement, une quinzaine de spectacles de cette organisation sont présentés un peu partout sur la planète et épatent le monde entier. On peut dire que c'est une belle réussite !

*Écuyer : jeune homme qui accompagne un chevalier et qui porte son équipement.

Chat-rades

1.

Mon premier est un animal domestique.

Mon deuxième est le nom des mamelles d'une vache.

Mon dernier est le contraire de tard.

Mon tout est l'endroit où la plupart des cirques présentent leurs spectacles.

Mon premier est un tout petit légume vert et rond.

Mon deuxième est un déterminant possessif.

Mon troisième est une couleur de cheveux.

Mon dernier est un pronom personnel.

Mon tout vit dans l'eau.

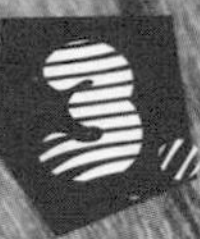

Mon premier est une partie d'un bateau.

Mon deuxième est l'endroit où naissent les oiseaux.

Mon troisième est le mot « orteil » en anglais.

Mon dernier est le contraire de haut.

Mon tout est une province canadienne.

Réponses à la page 84

La réflexion de Léon

S'il y a un dictionnaire
des noms propres,
est-ce que ça veut dire
qu'il y en a aussi un
des noms sales ?

ÊTES-VOUS DE BONS CITOYENS ?

Selon la loi, tous les cyclistes doivent respecter les règles suivantes :

SUR LA ROUTE

- ❑ **Je ne circule jamais sur le trottoir.**
- ❑ **Je n'écoute pas de musique sur un baladeur ou un lecteur MP3 quand je suis à vélo.**
- ❑ **Je ne circule pas entre deux rangées de véhicules immobilisés ou en mouvement.**
- ❑ **Je circule toujours à l'extrême droite de la chaussée, dans le même sens que la circulation.**
- ❑ **J'emprunte la piste cyclable s'il y en a une.**
- ❑ **Je signale mon intention de tourner à l'aide de mes bras.**
- ❑ **Quand je roule en groupe, tout le monde se suit à la queue leu leu.**
- ❑ **Je demeure assis sur le siège en tenant constamment le guidon.**
- ❑ **Je ne transporte aucun passager, sauf si ma bicyclette est munie d'un siège supplémentaire fixe.**
- ❑ **Je me conforme à toute la signalisation routière, car les cyclistes sont soumis aux mêmes règles de circulation que les véhicules motorisés.**

Pour plus de renseignements, visitez le site de la Société de l'assurance automobile du Québec :

www.saaq.gouv.qc.ca

FABRIQUEZ UNE « LAMPE À LAVE* »

1

Ce qu'il vous faut :

- Un pot en verre
- De l'eau
- Du colorant alimentaire
- De l'huile végétale
- Une salière (pleine)

2

Remplissez le pot d'eau aux trois quarts. Ajoutez-y quelques gouttes de colorant alimentaire (ça doit servir à teinter l'eau, pas le tapis : faites attention !). Ensuite, versez un tiers de tasse d'huile dans le pot. Attendez un instant et vous verrez : l'eau et l'huile se sépareront... Voilà. Maintenant, prenez la salière et saupoudrez généreusement le mélange d'eau et d'huile avec du sel, le temps de compter jusqu'à cinq (aidez-vous en comptant sur les doigts de votre main libre). Vous devriez voir une drôle de forme se mettre à descendre au fond du pot, puis remonter à la surface...

3

Comment ça marche ?

L'huile et l'eau ont des compositions chimiques qui les empêchent de se mélanger. Si on les oblige à partager un récipient, l'huile flottera toujours à la surface. Les grains de sel, eux, coulent au fond du pot, en entraînant un peu d'huile à leur suite. Puis, au contact de l'eau, le sel se dissout, libérant l'huile qui se dépêche de remonter vers la surface. Voyez-vous, certains fluides ne sont tout simplement pas faits les uns pour les autres. Ne soyez pas tristes : c'est ce qui nous permet de faire une « lampe à lave » tout ce qu'il y a de plus « groovie » !

* Ses reflets rappellent la lave du volcan. On dit aussi « lampe psychédélique ».

Devinettes

Certaines feuilles d'érable ne tombent jamais, même en hiver. Pourquoi?

Parce qu'elles sont sur les drapeaux du Canada.

Il lui est malheureusement impossible d'arrêter de fumer. Qui est-il?

Le feu.

Qui va dans le Sud chaque année sans jamais bronzer?

L'oiseau migrateur.

Je monte plus vite que je descends. Qui suis-je?

Un planchiste (« snowboardeur ») débutant.

Quel véhicule a pour devise : « Toujours prêt »?

Le « scouteur ».

Quel insecte a toujours la goutte au nez ?

La mouche.

Qu'est-ce qui peut devenir noir et blanc pendant plus d'une heure avant de retrouver ses couleurs ?

Une télé qui diffuse un film en noir et blanc...

Qui voit toujours une carotte quand il regarde devant lui ?

Le bonhomme de neige.

Pourquoi les fakirs ne portent-ils jamais de chandails en laine ?

Parce que ça pique.

Que fait la flûte une fois la nuit venue ?

Elle fait do-do.

Saviez-vous ça ?

Les dents de requin se renouvellent régulièrement. En effet, comme elles sont disposées sur plusieurs rangées, celles qui tombent sont tout de suite remplacées par celles situées juste derrière. Eh oui, grâce à un système dentaire de style « tapis roulant », les requins arrivent à produire un très grand nombre de dents, et ce, sans arrêt. Le requin baleinier, par exemple, renouvelle complètement sa dentition en 15 jours ! Ça doit tenir la fée des dents occupée...

C'EST LE COMBLE !

• QUEL EST LE COMBLE POUR UNE POMME ?

Avoir un pépin.

• QUEL EST LE COMBLE POUR UNE BOUSSOLE ?

Perdre le nord.

• QUEL EST LE COMBLE POUR UN CITRON ?

Être pressé.

• QUEL EST LE COMBLE POUR UN LIBRAIRE ?

Avoir des livres en trop.

• QUEL EST LE COMBLE POUR UN CHAT ?

Mener une vie de chien.

• QUEL EST LE COMBLE POUR UNE COUTURIÈRE ?

Filer un mauvais coton.

Ça y est, c'est décidé :
je me lance en politique !

AH, LA POLITIQUE !

VOTEZ LÉON !
Salut ! Qu'est-ce que tu fais ?
Je prépare ma campagne électorale !
Ah, oui ? Pour quel parti est-ce que tu te présentes?
Le mien.
Un parti sans mensonges, complètement transparent !
Wow ! Et quel est ton slogan ?
« Ne votez pas pour moi ! »

GROS, GROS PLAN
En tout cas...
... mieux vaut ne pas avoir trop d'acné dans le visage quand on fait de la politique...
Pourquoi ?
?
T'as pas vu les pancartes ?

NOUVELLE LOI
Ah, si j'étais premier ministre...
... je ferais adopter une nouvelle loi :
la loi du moindre effort !
Je me vois déjà siéger au parlement...

BRAVO, BEL EFFORT !

PLEIN DE MICROBES !
Y a quelque chose que je ne comprends pas.
Quoi ?
Comment se fait-il que les politiciens n’attrapent pas plus souvent la grippe ?
La grippe ?
?
Oui, étant donné toutes les mains qu’ils serrent...
!
... ça en fait, des microbes !
!

TOUS LES MOYENS SONT BONS...

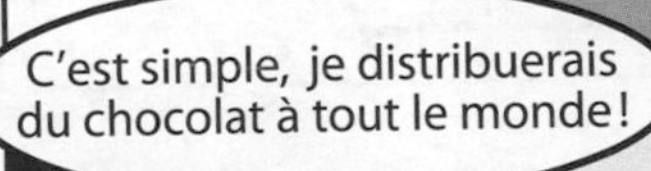

UN DISCOURS ! UN DISCOURS !
Une chose est certaine...
... les politiciens sont bons dans les discours.
Ah, oui ? Quels 10 cours ?
Les maths, le français, la géographie... ?

QUE FAIRE DE VOS 10 DOIGTS À PART PITONNER SUR VOTRE TÉLÉPHONE...

IMPRESSIONNEZ VOS INVITÉS EN CRÉANT UNE ROSE AVEC UNE SIMPLE SERVIETTE DE TABLE !

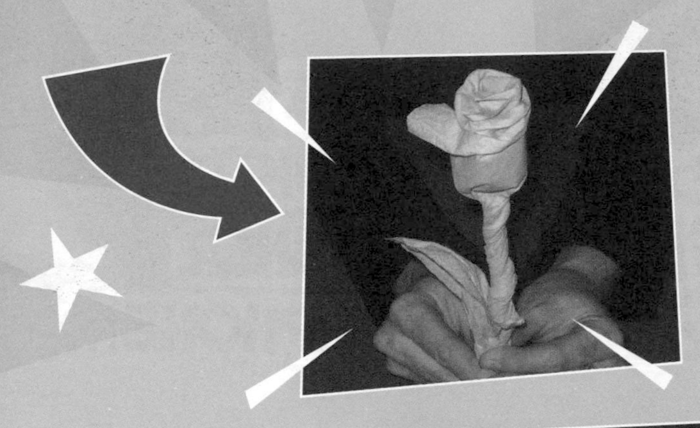

POUR LA RÉALISER, VOUS N'AVEZ BESOIN QUE D'UNE SERVIETTE DE TABLE EN PAPIER, COMME CELLE-CI.

Pour débuter, dépliez complètement la serviette.

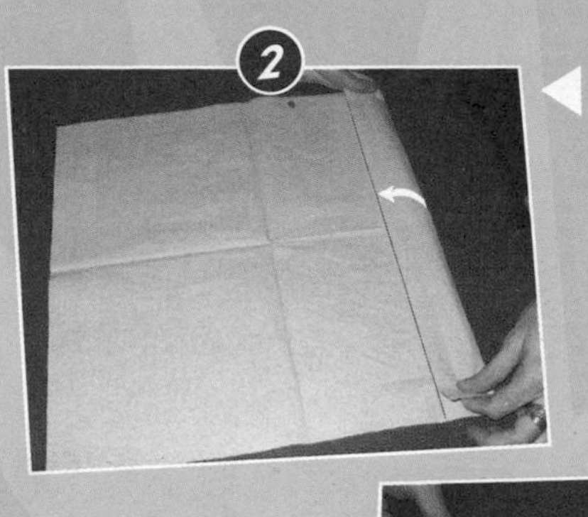

Repliez un des côtés pour obtenir un rebord d'environ 4 ou 5 cm, tel que démontré sur l'image 2.

Repliez-en ensuite le côté adjacent au précédent, pour obtenir un rebord de même largeur.

Voilà. C'est facile ! Vous obtenez ceci. Jusqu'à présent, tout va bien...

Maintenant, ça se complique un peu... mais pas de panique, vous y arriverez ! Commencez par placer trois doigts de votre main gauche le long du dernier côté que vous avez plié. Suivez bien les images pour vous aider.

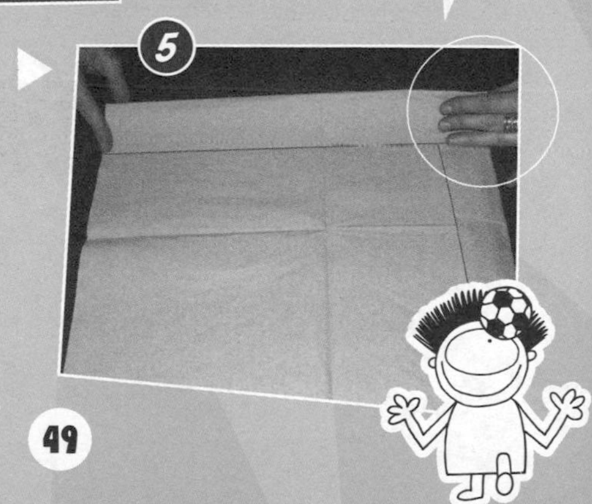

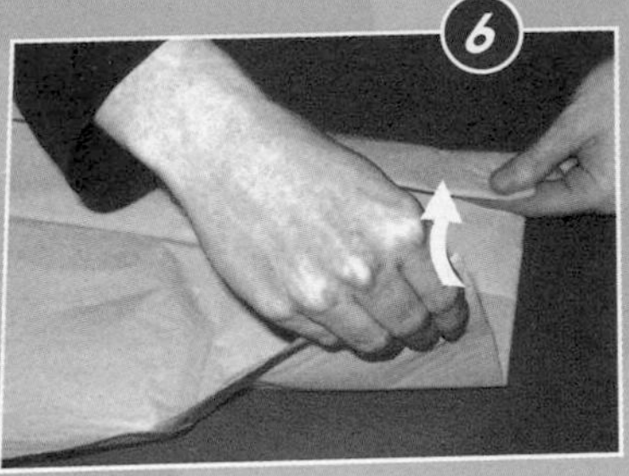

À l'aide de votre main droite, enroulez la serviette autour de vos trois doigts en effectuant plusieurs tours...

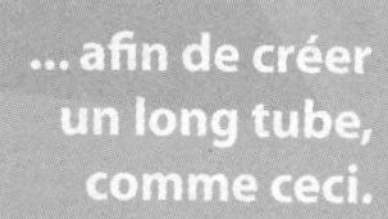

... afin de créer un long tube, comme ceci.

Vos doigts doivent rester à l'intérieur.

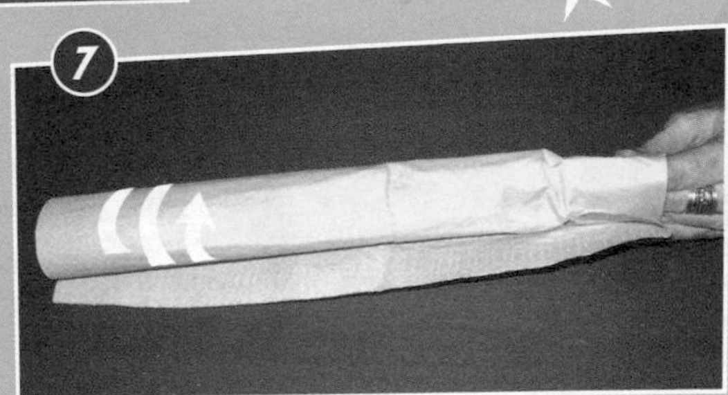

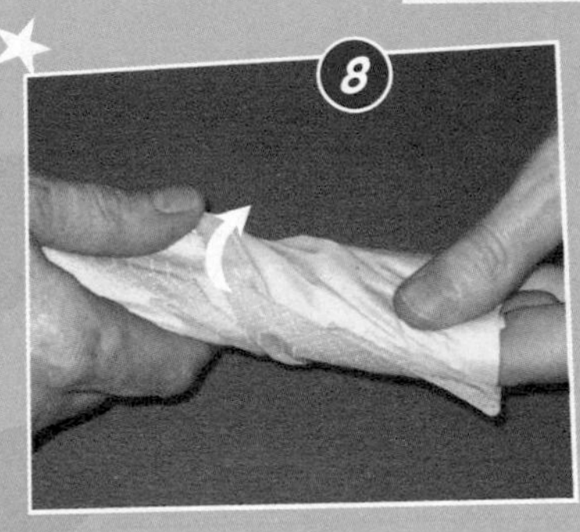

Vous allez maintenant former la fleur et la tige ! Pour ce faire, commencez à tordre tranquillement le tube avec votre main droite, à environ 5 cm du bout de la serviette où se trouvent vos trois doigts.

Maintenant, vous devez dégager vos trois doigts et vous en servir pour pincer la base de ce qui deviendra la fleur. Il faut tordre la serviette assez fort afin que la tige soit bien serrée et qu'elle tienne ensuite en place.

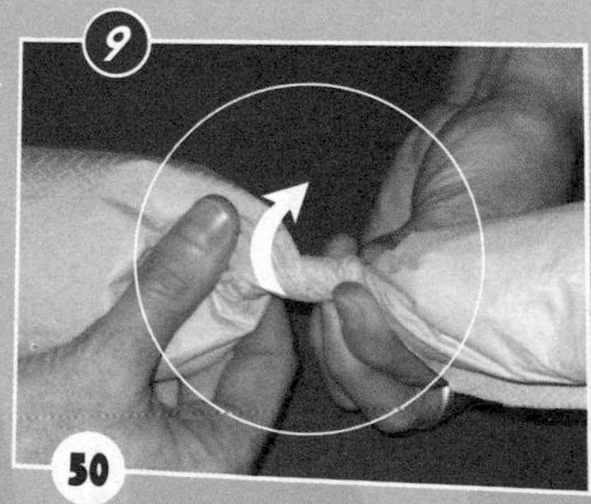

Tordez la tige jusqu'à un peu moins de la moitié de sa longueur et arrêtez.

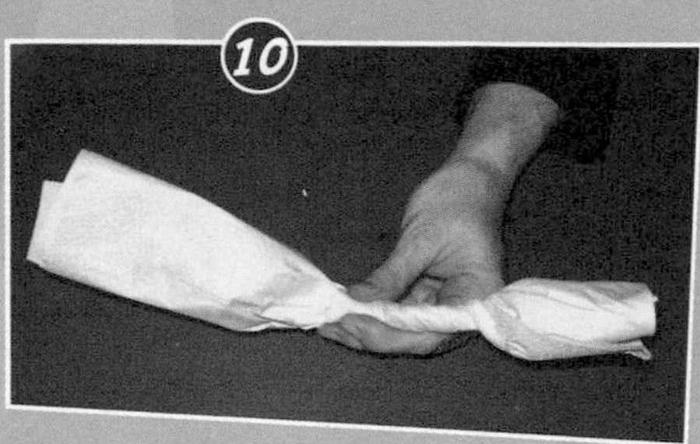

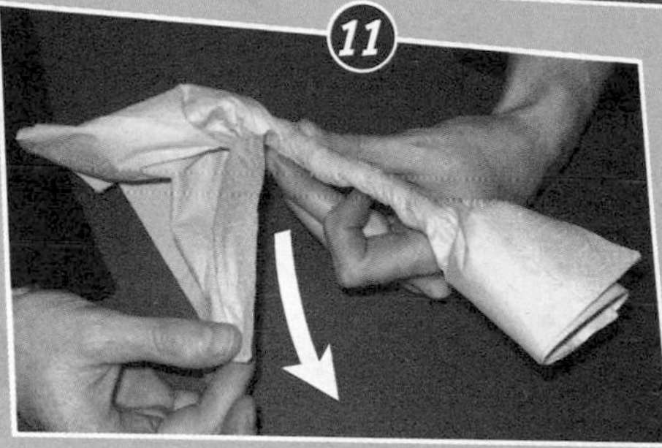

Tirez le coin extérieur de la serviette, à l'opposé de la corolle de la fleur. Ramenez- le bien haut pour former la feuille.

Puis, continuez à tordre le reste de la serviette jusqu'en bas. Vous y êtes presque !

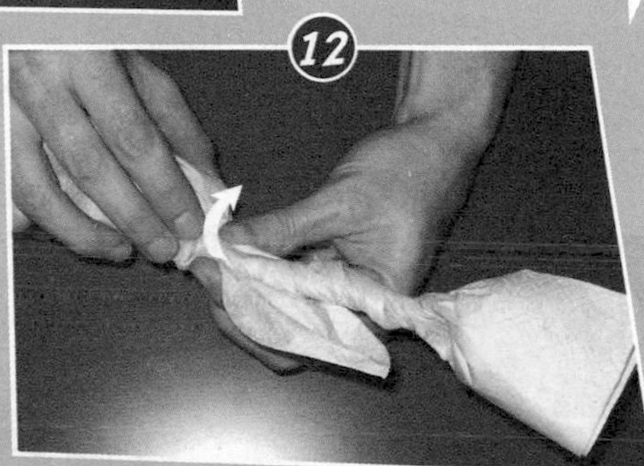

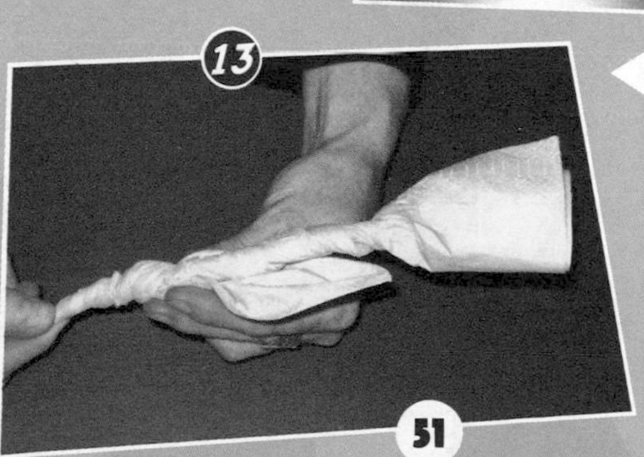

Voilà ! La fleur est formée.

Ne reste plus qu'à faire la finition...

14

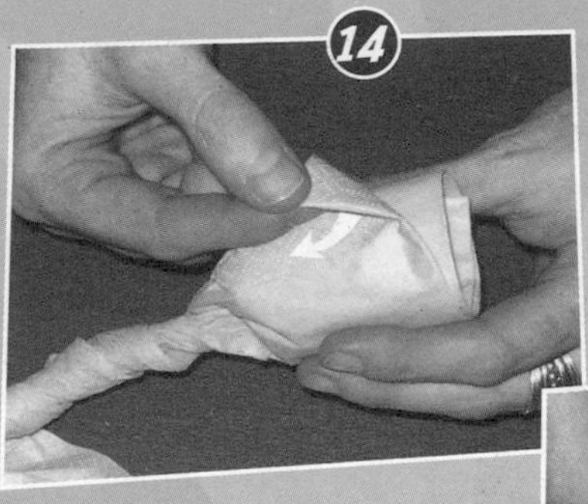

Afin de former les pétales, roulez doucement les bords vers l'extérieur.

15

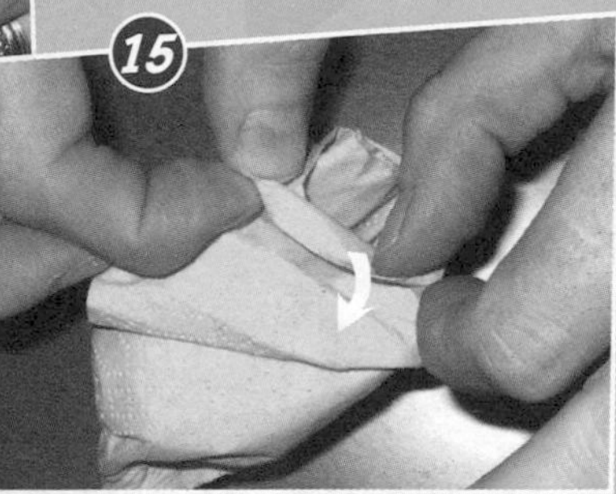

16

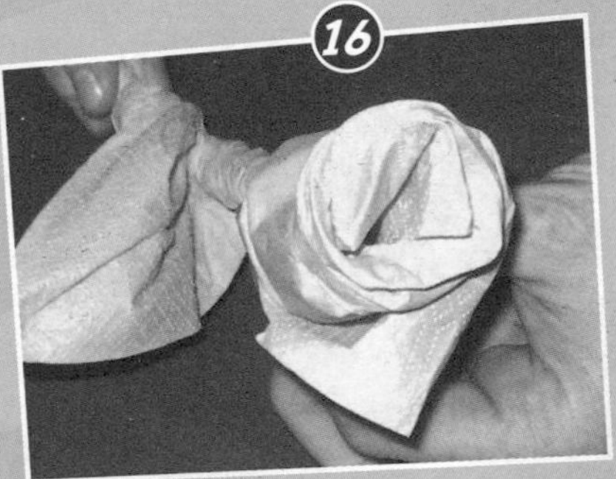

Tadam ! Votre rose est terminée !

Vous pouvez maintenant la déposer dans le verre de vos invités en dressant la table ou encore l'offrir à votre mère le 10 mai prochain... jour de la fête des Mères !

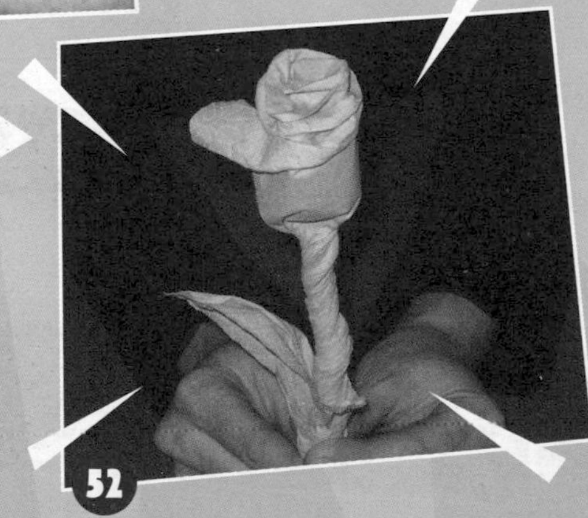

TEST : CONNAISSEZ-VOUS BIEN L'ASTRONOMIE ?

1. Quel autre nom donne-t-on à la planète Terre ?

a) La planète d'eau
b) La planète verte
c) La planète bleue
d) La planète ronde

2. Laquelle de ces constellations n'existe pas ?

a) La Grande Ourse
b) La Petite Ourse
c) Cassiopée
d) Le Crabe Géant

3. Laquelle de ces planètes est entourée d'un anneau ?

a) Mars
b) Mercure
c) Saturne
d) Pluton

4. Pendant une éclipse solaire, qu'arrive-t-il exactement ?

a) Une étoile filante passe devant le Soleil.
b) La Lune est entre la Terre et le Soleil, et cache ce dernier.
c) Une comète s'écrase sur la Terre.
d) Le Soleil se rapproche de la Terre et nous réchauffe.

5. Qui est le premier astronaute à avoir marché sur la Lune ?

a) Julie Payette
b) Neil Armstrong
c) Hubert Reeves
d) Astro Notte

6. À quoi peut-on comparer le Soleil ?

a) À une grosse boule de feu
b) À une grosse boule de terre
c) À une grosse boule d'eau
d) À une grosse roche

7. La planète Mars est connue sous un autre nom. Lequel ?

a) La planète chaude
b) La planète rouge
c) La planète mauve
d) La planète grise

8. Quelle est la galaxie dans laquelle se trouve notre système solaire ?

a) La Voie lactée
b) La Route pavée
c) Le Champ de blé
d) La Voie pavée

9. Quel est l'instrument qui permet d'observer les planètes et les étoiles ?

a) Un microscope
b) Un stéthoscope
c) Un télescope
d) Une boussole

10. La Terre se situe entre deux planètes. Lesquelles ?

a) Pluton et Mercure
b) Jupiter et le Soleil
c) Mars et Vénus
d) La Lune et Saturne

Réponses à la page 84

RÉSULTATS DU TEST

Entre 8 et 10 bonnes réponses :
Bravo ! Vous en connaissez déjà beaucoup sur l'astronomie, c'est impressionnant. Êtes-vous, par hasard, déjà allés faire un tour sur la Lune ?

Entre 4 et 7 bonnes réponses :
Très bien. Vous avez encore quelques croûtes à manger avant de devenir astronaute, mais vous êtes sur la bonne voie !

Moins de 3 bonnes réponses :
Ce n'était pas un test facile. Ou peut-être, tout simplement, que vous n'êtes pas très intéressés par le sujet... à part quand il s'agit de tomber dans la lune !

Le Métier Super Cool

Géoarchéologue

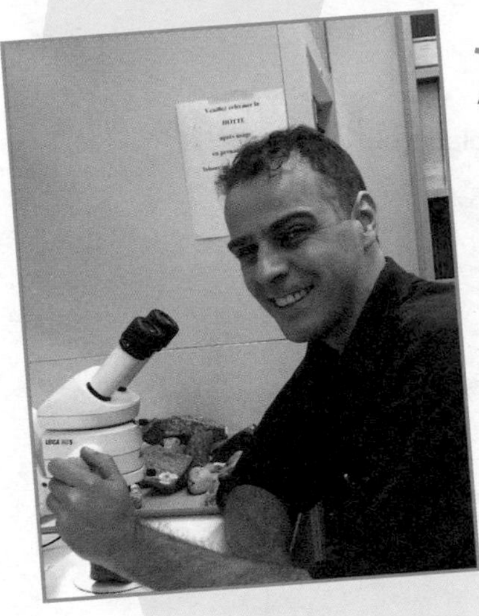

Jeffrey Vaillancourt

Avez-vous déjà découvert un objet bizarre en creusant dans la terre, pour vous demander ensuite ce que ça pouvait bien être exactement ? Êtes-vous curieux de savoir comment les hommes vivaient il y a 2000 ans ? Des géoarchéologues comme Jeffrey Vaillancourt travaillent à trouver les réponses à ces questions. Pour en apprendre davantage sur son métier, lisez ce qui suit !

• EN QUOI CONSISTE LE MÉTIER DE GÉOARCHÉOLOGUE ?

Il s'agit en fait de la combinaison de deux professions : celle de géologue et celle d'archéologue. L'archéologie consiste à fouiller des sites pour trouver des témoins matériels qui nous aident à comprendre comment l'homme a vécu à d'autres époques. La géologie, elle, est une science qui étudie la composition du sol et ses transformations. Le géoarchéologue va donc travailler sur des sites archéologiques pour analyser le sol et ses composantes tout en observant la disposition des objets dans la terre. En étudiant le sol, il arrive à reconstituer l'environnement dans lequel les témoins matériels ont été abandonnés, ce qui permet de les dater, et aussi de comprendre bien des choses sur l'homme et son évolution.*

• QU'EST-CE QU'IL TROUVE LE PLUS COOL DANS SON MÉTIER ?

Ce que Jeffrey préfère, c'est se rendre sur des sites de fouilles pour effectuer des analyses particulières. Il aime aussi beaucoup la diversité des tâches qu'il doit accomplir dans une journée. Parfois, il va directement sur les sites ; souvent, il travaille en laboratoire pour analyser les différentes composantes du sol ; à d'autres moments, il fait des recherches à la bibliothèque. Son horaire varie d'une journée à l'autre, et ça lui plaît énormément.

Un site de fouilles au Panama, en Amérique centrale, où Jeffrey a travaillé

• ET QU'EST-CE QU'IL TROUVE LE MOINS COOL ?

Effectuer de longs déplacements. Il déteste ça ! Pourtant, il doit très souvent le faire. Il n'a pas le choix : la majorité des sites archéologiques sont loin du centre-ville de Montréal, où est situé son bureau !

• POURQUOI A-T-IL VOULU DEVENIR GÉOARCHÉOLOGUE ?

Le passé, l'histoire de l'homme et les dinosaures l'ont toujours fasciné. Plus jeune, c'était un grand fan de l'émission Les cités d'or *et il adorait les livres de la collection* Il était une fois... l'Homme. *Demandez à vos parents : ils ont sûrement connu ça ! Il était aussi très* curieux de ce qu'il pouvait trouver dans la nature ; il aimait particulièrement les roches brillantes, par exemple. Mais même si tout cela l'intéressait, il ne savait pas qu'il voulait en faire son métier. Ce n'est que beaucoup plus tard, après un voyage en Europe où il a eu la chance de visiter des sites archéologiques, qu'il a décidé d'entreprendre des études universitaires dans ce domaine.

• QUELLE A ÉTÉ SA PREMIÈRE EXPÉRIENCE DE TRAVAIL LIÉE À CE DOMAINE ?

Le premier camp de fouilles auquel il a participé était situé dans le parc du Lac-Leamy, dans la région d'Ottawa. Chaque étudiant avait son espace d'un mètre sur un mètre qu'il devait passer au peigne fin. Cette semaine-là, Jeffrey a eu beaucoup de chance, car il est tombé sur ce qu'on appelle un « atelier de taille », c'est-à-dire un endroit où un Amérindien s'était fabriqué un outil. Il y avait donc dans le sol plein de débris et de retailles de toutes sortes. Il a même trouvé un outil « raté » que l'Amérindien avait abandonné. Son ami, juste à côté de lui, a passé la journée à fouiller sans jamais rien trouver !

Jeffrey, au parc du Lac-Leamy, en compagnie du professeur Gilles Tassé

• QUEL EST L'OBJET LE PLUS ÉTRANGE QU'IL A DÛ ANALYSER ?

Souvent, des gens se rendent à son laboratoire pour faire authentifier des objets rapportés de voyage, comme des figurines, des vases ou encore des roches. Une fois, on lui a présenté un drôle de caillou d'une forme étrange, en pensant qu'il s'agissait peut-être d'un métal rare. En l'analysant, Jeffrey a finalement constaté que c'était un simple morceau de plastique qui avait été façonné par l'eau au fil des années et qui avait complètement changé de forme. Ça ne valait rien du tout !

• QUELLES SONT LES QUALITÉS NÉCESSAIRES POUR EXCELLER DANS CETTE PROFESSION ?

D'abord et avant tout, il faut de la patience ! Pour travailler comme géoarchéologue, ou simplement comme archéologue, on doit aller à l'école très longtemps, et ça demande de grands efforts. De plus, on passe souvent des heures à faire des analyses ou des recherches qui ne seront pas concluantes, ce qui peut être décourageant. La curiosité et l'ouverture d'esprit sont aussi des qualités essentielles pour pratiquer ce métier, car ce travail fait appel à plusieurs sciences et connaissances différentes.

Jeffrey en train d'observer une roche à l'aide de sa loupe binoculaire

• DE QUOI EST-IL LE PLUS FIER JUSQU'À PRÉSENT DANS SA CARRIÈRE ?

Jeffrey est particulièrement fier d'avoir réussi à se rendre où il est aujourd'hui, car ça n'a pas toujours été facile. Il a abandonné ses études au cégep, étant donné qu'il ne savait pas trop ce qu'il voulait faire dans la vie. Par la suite, il a travaillé quelques années. Comme il n'avait plus vraiment de défis à relever sur le plan professionnel, Jeffrey a compris que ça vaudrait sûrement la peine de retourner à l'école. Après un voyage, il s'est inscrit à l'université et a travaillé très dur pour avoir de bons résultats. Cependant, c'était beaucoup plus facile qu'avant, puisqu'il aimait ses cours et qu'il savait ce qu'il voulait faire. C'est à force de persévérer que Jeffrey a atteint son but !

• A-T-IL UN CONSEIL À DONNER ?

Il est essentiel de croire en soi. Même si on a de la difficulté dans certaines matières, il ne faut pas se décourager. L'important, c'est de trouver quelque chose qu'on aime et de fournir ensuite tous les efforts nécessaires pour arriver à réaliser ses rêves.

** Témoins matériels : objets qui témoignent de la présence de l'homme à une autre époque.*

TERRAIN DE JEUX

SOLUTIONS À LA PAGE 84

ASSOCIEZ CHAQUE ANIMAL À SON CRI

1. hennir
2. meugler
3. barrir
4. coasser
5. croasser
6. hululer
7. rugir
8. braire
9. caqueter
10. bêler

1. ___ 2. ___ 3. ___ 4. ___ 5. ___ 6. ___ 7. ___ 8. ___ 9. ___ 10. ___

CHIFFRES MYSTÈRES

3	1	0	2	3	2
0	4	1	1	1	5
6	4	1	9	9	4
1	8	7	9	3	3
2	0	7	9	7	6
1	3	1	1	5	6

À LA MANIÈRE D'UN MOT MYSTÈRE, DONC, DANS TOUS LES SENS, TROUVEZ LES CHIFFRES CACHÉS À L'AIDE DES QUESTIONS CI-DESSOUS.

Indice : Les chiffres restants, en ordre, indiquent l'année où la créatrice de Harry Potter, J.K. Rowling, est née.

SOLUTION : ____________________

1. L'année de naissance d'Annie Groovie (la réponse se trouve dans le livre).

2. Le numéro à composer en cas d'urgence.

3. 12 x 12 = …

4. Le nombre de dalmatiens dans la célèbre histoire de Walt Disney.

5. Le nombre de semaines dans une année.

6. L'année des Jeux olympiques de Montréal.

7. Complétez la suite logique : 012 - 123 - 234 - …

8. Léon a fait deux douzaines et demie de muffins. Il en a mangé deux. Combien lui en reste-t-il ?

9. En quelle année une personne née en 2000 atteindra-t-elle la majorité ?

10. Le père de Juliane est né en 1974. Nous sommes en 2009. Quel âge a-t-il ?

11. (300 ÷ 3) + 50 - (3 x 5) - 4 = …

12. La ville de Québec a été fondée en quelle année par Samuel de Champlain ?

13. Jean-Louis aura 80 ans dans 3 ans. Quel âge a-t-il ?

14. 333 x 3 = …

15. Une personne qui aura 75 ans en 2009 est née en…

16. Un événement sera présenté dans un an et une semaine, moins un jour. Dans combien de jours aura-t-il lieu ?

MIAM-MIAM... DE LA BONNE PIZZA !

LÉON A COMMANDÉ UNE PIZZA, MAIS LE LIVREUR A MÉLANGÉ SES BOÎTES...

POUVEZ-VOUS AIDER LÉON À RETROUVER SA PIZZA ?

VOICI CE QU'ELLE DEVRAIT CONTENIR :

- pepperoni
- champignons 
- olives 
- ananas 
- saucisse 
- cerises vertes et rouges 
- oignons 
- poivron jaune et vert 
- bacon 
- piments forts 

A
B
C
D
E
F

POUVEZ-VOUS REPRODUIRE CE DESSIN ?

Allez-y, vous êtes capables !

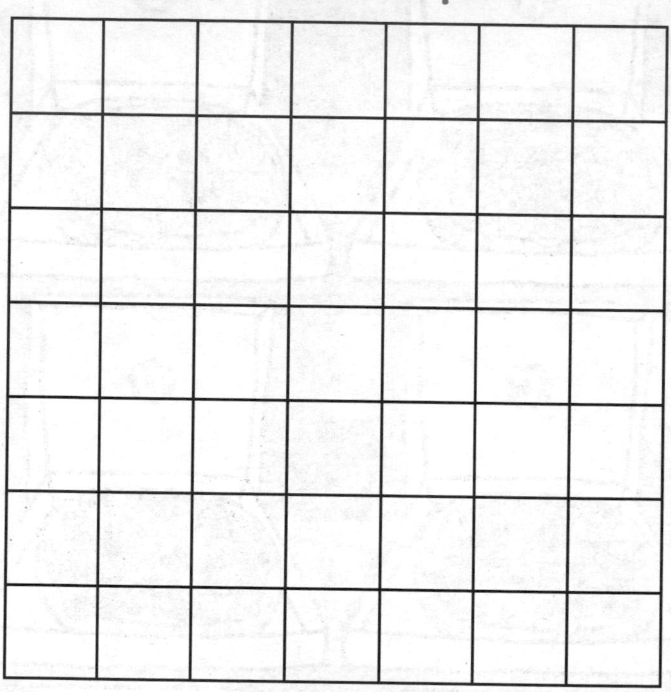

MOTS MÉLANGÉS

Léon a mis les mots suivants dans le mélangeur. À l'aide des indices, saurez-vous les reconstituer ?

1. **anbamito** [indice = province du Canada]
2. **tgnfomieloer** [indice = moyen de transport]
3. **afjista** [indice = mets mexicain]
4. **etParhne** [indice = animal]
5. **hepar** [indice = instrument de musique]
6. **tnoatain** [indice = sport]
7. **odcis** [indice = style musical]
8. **ciupiafqe** [indice = océan]

Où se trouve le morceau de casse-tête manquant ?

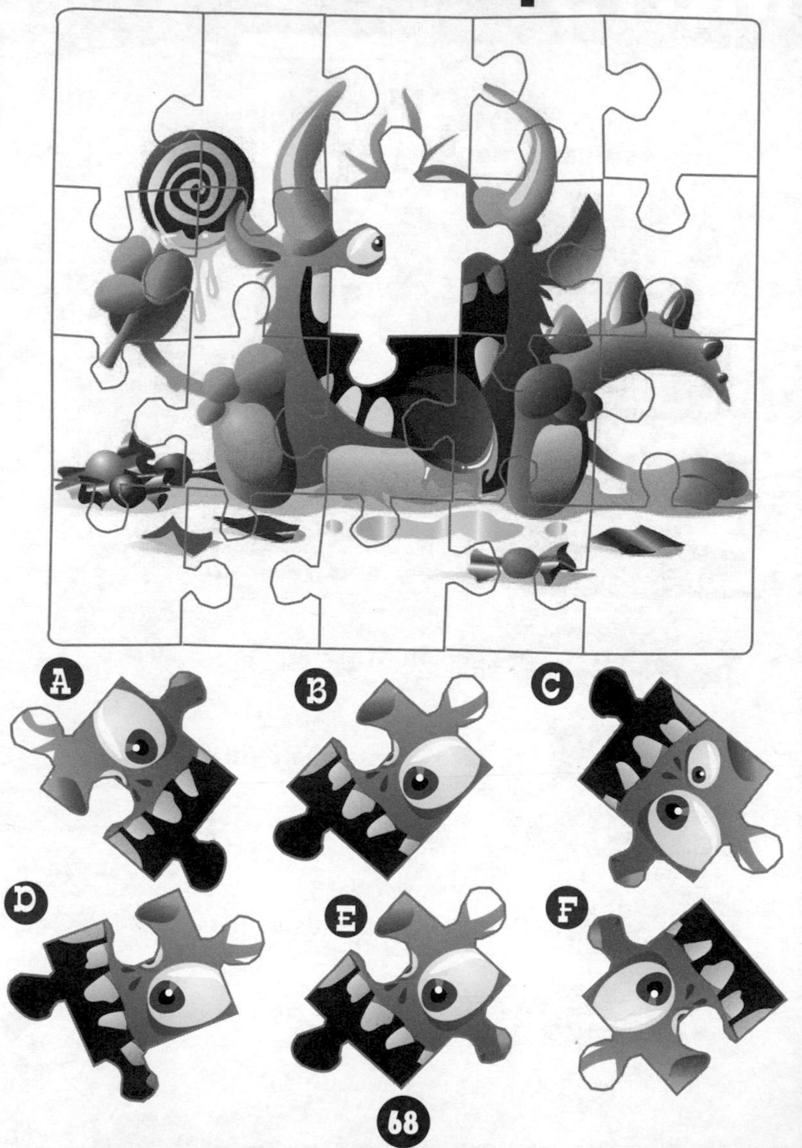

En vous basant sur la forme ouverte ci-dessous, pouvez-vous trouver le dé qui n'est pas **logique?**

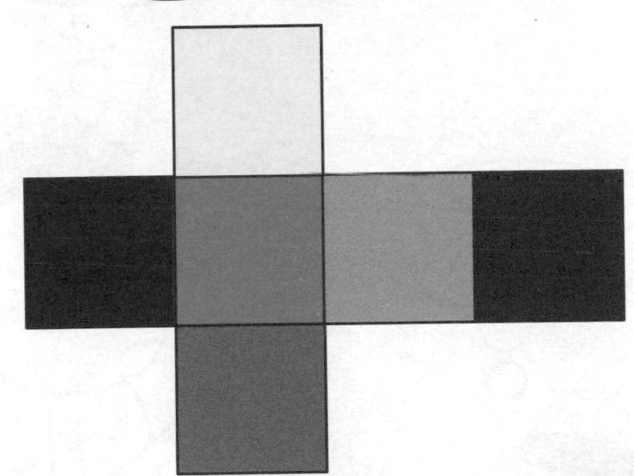

A)

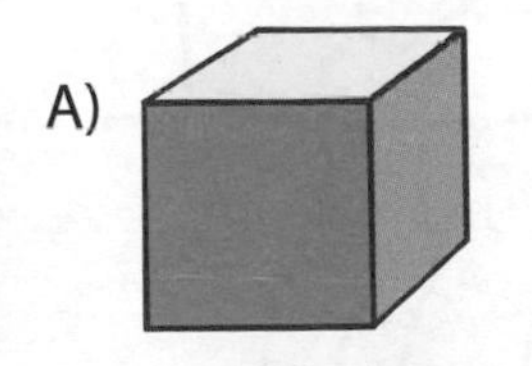

B)

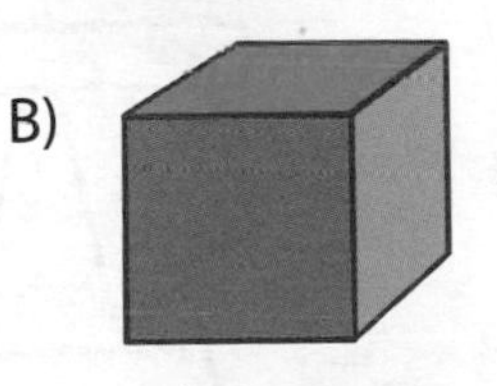

C)

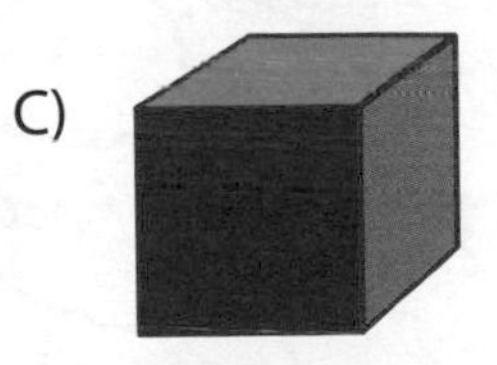

D)

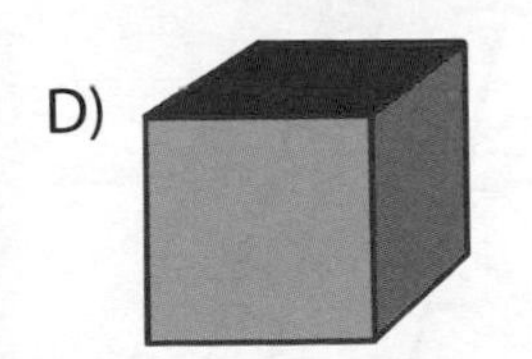

E)

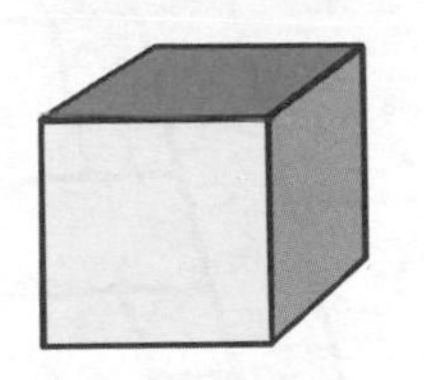

F)

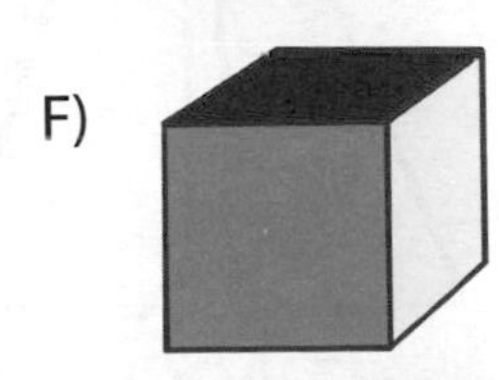

Salut, Léon ! Qu'est-ce que tu fais là ?
J'essaie de me remonter un peu le moral...

AYEZ L'AIR INTELLIGENTS

en connaissant le langage des signes de la main

Parce que peu importe le moyen qu'on utilise pour s'exprimer, il est toujours préférable de savoir ce qu'on dit. C'est même un signe... d'intelligence.

Qu'est-ce que ça signifie quand on lève le pouce ? Et quand on place ses doigts en V ?

Levez l'index si vous connaissez les réponses!

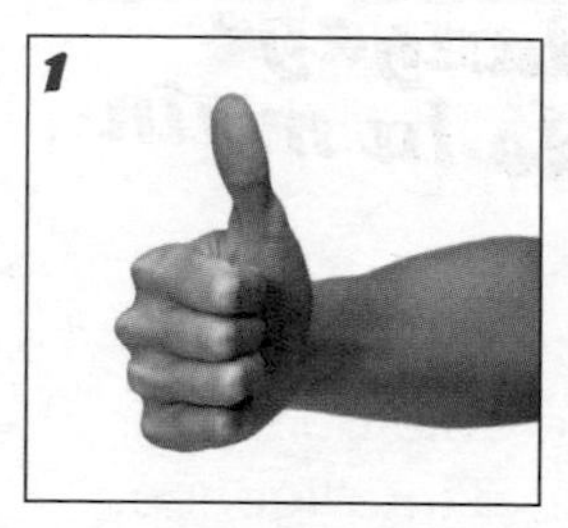
1

« OK »

Exécutions (2): 1. Le pouce est levé, alors que les autres doigts sont repliés. **2.** Le pouce et l'index se touchent pour former un O (le O de OK) alors que les trois autres doigts sont dressés.

Signification: Ça veut dire que tout va bien. Attention, cependant: ces deux signes ne sont pas équivalents quand on fait de la plongée sous-marine. Les plongeurs lèvent le pouce pour signifier qu'ils remontent et forment un O avec le pouce et l'index pour dire que tout baigne (tout est OK). Si vous levez le pouce sans remonter, votre partenaire de plongée croira que quelque chose ne va pas...

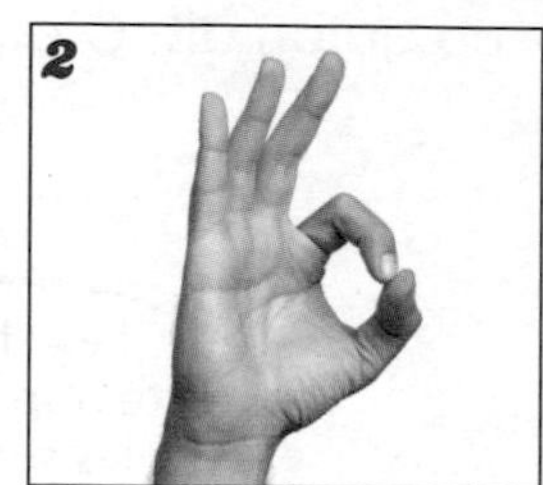
2

« V »

Exécution: Le majeur et l'index forment un V.

Signification: De nos jours, ça veut dire «paix». Pendant la Deuxième Guerre mondiale, ce signe symbolisait, pour les Anglais, l'espoir de la victoire (V pour *Victory*). Plus tard, durant la guerre du Vietnam, les pacifistes américains l'ont repris dans leurs manifestations: ils formaient un V avec leurs doigts et criaient «Peace!»

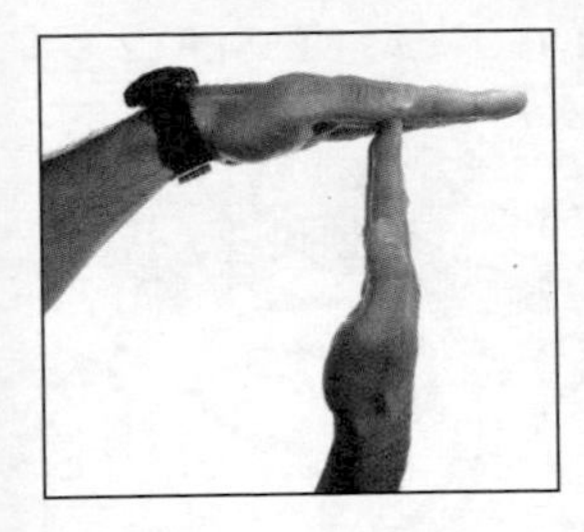

« Temps d'arrêt »

Exécution: Vos deux mains bien droites sont placées perpendiculairement l'une par rapport à l'autre, et le bout des doigts de l'une touche le centre de la paume de l'autre.

Signification: Quand vous employez ce signe, vous demandez un temps d'arrêt. Vous pouvez l'utiliser pendant une activité sportive, au cours d'une conversation très animée ou en lisant la rubrique « Ayez l'air intelligents ».

Le salut scout

Exécution: Levez la main droite. Les trois doigts du centre sont droits, les autres sont repliés, le pouce par-dessus le petit doigt. Vous devriez voir une fleur de lys. Vous ne la voyez pas? Bon, ce n'est pas grave. Ce signe est le symbole international du scoutisme.

Signification: Les doigts du centre représentent trois engagements. Le scout promet d'être loyal, de rendre service aux autres et d'observer la Loi scoute. Quant au pouce replié sur le petit doigt, il signifie que le scout protégera les plus faibles que lui, aussi bien contre les ours que contre l'herbe à puce!

Le « shaka »

Exécution: Le pouce et le petit doigt sont en extension, les autres doigts sont repliés dans la paume.

Signification: Le «shaka» a été popularisé par les surfeurs. En plus d'être cool, ce signe est très polyvalent. Il peut tout aussi bien vouloir dire «Salut» que «Merci» ou... «OK».

QUI VEUT DU DESSERT ?

GROSSE DÉCISION
Léon, que fais-tu avec cette balance ?
J'ai une décision importante à prendre.
Et puis ?
Je dois peser le pour et le contre !
75

TOUJOURS PRÊT !
Salut, t'es prêt ?
Non, pas tout à fait...
Tu me feras un signe quand tu le seras.
OK.
QUELQUES MINUTES PLUS TARD...
Voilà !
C'est quoi, ça ?
Euh... eh bien, un cygne...
... pour te dire que je suis prêt !

DES MOUCHES ?
Salut Léon !
Ah, salut !
Y a des mouches dans ta maison ?
Non.
Mais alors, pourquoi tiens-tu une tapette à mouches ?
J'avais une lettre à taper...

CODE SECRET

EXERCEZ-VOUS À DEVENIR UN AGENT SECRET!

C'est le moment idéal pour tenter de décoder de grands mystères. Vous y avez sans doute déjà secrètement songé, alors tournez la page et saisissez l'occasion rêvée de foncer!

Ce code secret vous révélera
un indice important qui vous aidera
à découvrir qui sera la personnalité
québécoise célèbre présentée
dans le prochain *Délirons avec Léon*.

Pour le déchiffrer, c'est simple: vous
n'avez qu'à compter le nombre de pois
qui se trouvent sur chacune
des coccinelles* puis, en
attribuant un par un à ces
nombres la lettre de
l'alphabet qui leur
correspond, vous
découvrirez
une phrase.
Celle-ci sera
votre indice.

Bonne chance!

* Les petits carrés à gauche
des coccinelles sont là pour que
vous puissiez inscrire ce nombre.

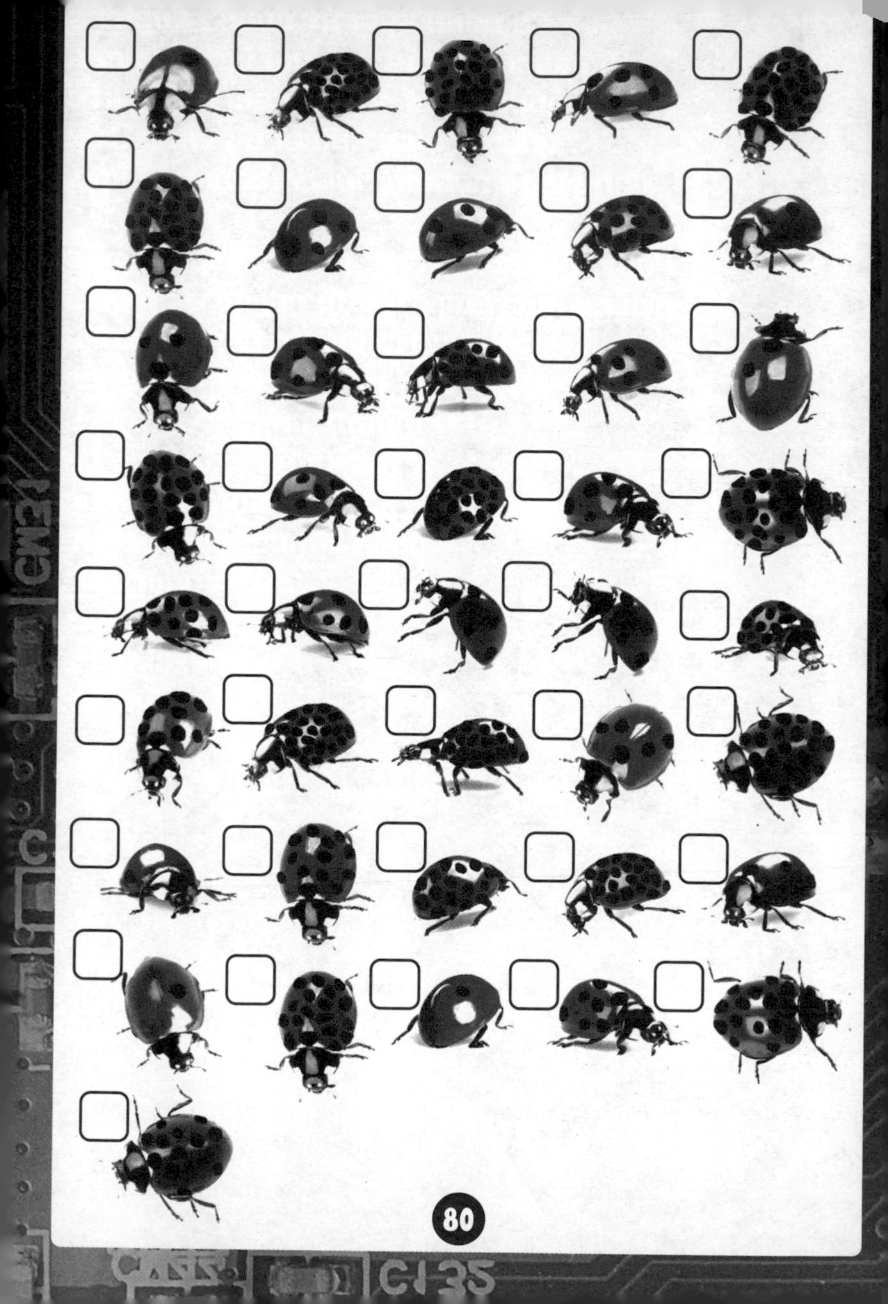

Code secret

ANNIE GROOVIE À VOTRE ÉCOLE

COOL !

EH OUI, ANNIE GROOVIE FAIT DES TOURNÉES DANS LES ÉCOLES !
VOUS TROUVEREZ TOUTE L'INFORMATION SUR LE SITE INTERNET
WWW.ANNIEGROOVIE.COM

À BIENTÔT PEUT-ÊTRE !

Photo : Dominique Malaterre

Annie Groovie voit le jour le 11 avril 1970, à 19 h 15, en plein souper de cabane à sucre. Elle grandit heureuse et comblée à Québec. Très tôt, elle développe un goût profond pour la création (et pour les sucreries...). Dès l'âge de huit ans, elle remporte son premier concours de dessin, grâce à son originalité.

Annie est diplômée en arts plastiques et bachelière en communications graphiques. Elle exerce le métier de conceptrice publicitaire depuis plusieurs années à Montréal, où elle habite depuis 1994 (eh oui, elle vieillit...).

Annie est une grande adepte de la gymnastique ainsi qu'une mordue de cirque et d'acrobaties de toutes sortes. En 1997, elle est sélectionnée par le Cirque du monde et part trois mois au Chili pour enseigner les arts du cirque aux enfants de la rue.

En 2003, Annie Groovie se découvre une toute nouvelle passion : la création de livres pour enfants. Aujourd'hui, les albums consacrés à son personnage de Léon «roulent» à merveille. Elle a un projet de dessins animés en production, et vous tenez présentement le vingt et unième numéro d'une série de livres tout à fait délirants !

SOLUTIONS

p. 28-29
1- Chat - Pis - Tôt (chapiteau)
2- Pois - Son - Roux - Je (poisson rouge)
3- Mât - Nid - Toe - Bas (Manitoba)

p. 65
1. 1970
2. 911
3. 144
4. 101
5. 52
6. 1976
7. 345
8. 28
9. 2018
10. 35
11. 131
12. 1608
13. 77
14. 999
15. 1934
16. 371

Chiffres restants : 1965

p. 64-65 : **D**

p. 69 : **E**

p. 67
1. Manitoba
2. Montgolfière
3. Fajitas
4. Panthère
5. Harpe
6. Natation
7. Disco
8. Pacifique

p. 62
1. h)
2. g)
3. i)
4. d)
5. b)
6. j)
7. a)
8. e)
9. f)
10. c)

p. 68 : E

p. 53-55

1. c)	6. a)
2. d)	7. b)
3. c)	8. a)
4. b)	9. c)
5. b)	10. c)

DANS LA MÊME COLLECTION

DÉLIRONS AVEC LÉON

DES HEURES DE PLAISIR !

Les éditions de la courte échelle inc.
5243, boul. Saint-Laurent
Montréal (Québec) H2T 1S4
www.courteechelle.com

Conception, direction artistique et illustrations : Annie Groovie
Direction du projet : Amélie Couture-Telmosse
Collaboration au contenu : Amélie Couture-Telmosse, Joëlle Hébert et Martin Bernier
Collaboration au design et aux illustrations : Émilie Beaudoin
Révision : André Lambert et Valérie Quintal
Infographie : Nathalie Thomas
Muse : Franck Blaess

Une idée originale d'Annie Groovie

Dépôt légal, 2e trimestre 2009
Bibliothèque nationale du Québec

La courte échelle reconnaît l'aide financière du gouvernement du Canada par l'entremise du Programme d'aide au développement de l'industrie de l'édition pour ses activités d'édition. La courte échelle est aussi inscrite au programme de subvention globale du Conseil des Arts du Canada et reçoit l'appui du gouvernement du Québec par l'intermédiaire de la SODEC.

La courte échelle bénéficie également du Programme de crédit d'impôt pour l'édition de livres — Gestion SODEC — du gouvernement du Québec.

Catalogage avant publication de Bibliothèque et Archives nationales du Québec et Bibliothèque et Archives Canada

Groovie, Annie

Délirons avec Léon

Pour enfants de 8 ans et plus.

ISBN 978-2-89651-162-4

1. Jeux intellectuels - Ouvrages pour la jeunesse. 2. Jeux-devinettes - Ouvrages pour la jeunesse. 3. Devinettes et énigmes - Ouvrages pour la jeunesse. I. Titre.

GV1493.G76 2007 j793.73 C2006-942113-7

Imprimé en Malaisie